Chez grand-maman

Kirsten Hall

Illustrations de Gloria Calderas

Texte français de Nicole Michaud

Éditions
SCHOLASTIC

Catalogage avant publication de Bibliothèque et Archives Canada

Hall, Kirsten
Chez grand-maman / Kirsten Hall; illustrations de Gloria Calderas;
texte français de Nicole Michaud

(Je veux lire)
Traduction de : Grandma's house.
Pour les 3-6 ans.

ISBN 978-0-545-99889-5

I. Calderas Lim, Gloria II. Michaud, Nicole III. Titre.
IV. Collection : Je veux lire (Toronto, Ont.)

PZ23.H3385Ch 2007   j813'.54   C2007-903305-9

Édition publiée par les Éditions Scholastic, 604, rue King Ouest, Toronto (Ontario) M5V 1E1.

6 5 4 3 2   Imprimé au Canada 119   11 12 13 14 15

Note à l'intention des parents et des enseignants

Dès que l'enfant sait reconnaître les 33 mots utilisés
pour raconter cette histoire, il peut lire le livre en entier.
Ces 33 mots apparaissent tout au long de l'histoire pour que
les jeunes lecteurs puissent facilement les retrouver
et comprendre leur signification.

aime	encore	la	promenons
aimons	et	maison	rester
aujourd'hui	faire	marcher	sieste
avec	grand-maman	marchons	son
cache-cache	je	moi	sur
chien	joue	nous	un
de	jouer	parlons	vais
elle	jouons	peu	veux
embrasse			

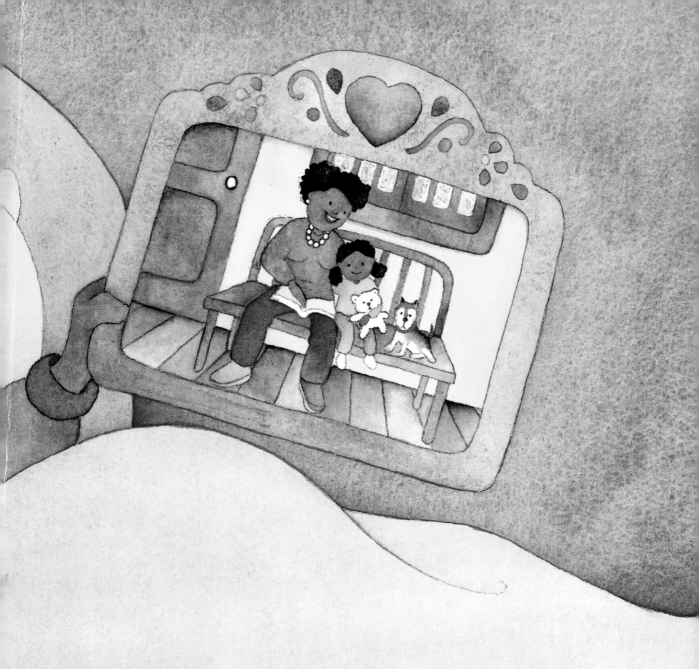

J'aime la maison de grand-maman.

J'y vais aujourd'hui.

Nous jouons avec son chien.

Son chien
aime jouer avec nous.

J'aime la maison de grand-maman.

Elle et moi, nous aimons marcher.

Nous promenons son chien.

Nous marchons et nous parlons.

J'aime la maison de grand-maman.

Nous jouons à cache-cache.

Elle et moi, nous aimons faire la sieste.

Je l'embrasse sur la joue.

Elle et moi, nous aimons jouer.

Je veux rester encore un peu.

JE VEUX LIRE